Ar Gof a Chadw

gan
Llinos Mair

Wenfro

O! Gwyn ein byd
– a gwyrdd!

'Pwy sy'n dod am dro yn yr haul i weld y blodau?' gofynnodd Mam-gu Iet-wen, un bore braf o wanwyn.
'Dw i'n dod, Mam-gu Iet-wen!' gwaeddodd Owen.

Roedd Olwen a Branwen, y frân wen, allan yn yr ardd.

'Wel, dw i'n siŵr y bydd Bwgi-bo yn eu hoffi nhw,' meddai Olwen, a'u hroi ym mhoced ei ffrind, y bwgan brain mud.

Edrychodd Bwgi-bo arni'n syn, er na allai ddweud gair.

'Edrychwch! Mae gen i flodyn arbennig,' meddai Mam-gu Iet-wen. 'Dyma Goleuwen, y chwyddwydr hud. Fe gewch chi edrych drwy Goleuwen yn nes ymlaen, pan ddown ni at rywle arbennig iawn.'

4

Dechreuodd Bwgi-bo symud yn swnllyd. Roedd Olwen yn poeni amdano.

Oes eisiau'r tŷ bach arnat ti, Bwgi-bo?

Ond gwelodd Olwen mai Gwen y wenynen oedd wedi dod i chwilio am neithdar. Roedd Bwgi-bo wrth ei fodd yn ei gwylio hi'n hedfan o gwmpas y lle.

Cyn bo hir, roedd Mam-gu Iet-wen, Owen, Olwen, Bwgi-bo a Gwen wedi cyrraedd glan yr afon gan ddod at res o gerrig mawr gwyn.

Dyma oedd fy hoff le pan oeddwn i'n fach.

6

Daliodd Mam-gu Iet-wen Goleuwen i fyny er mwyn i bawb allu gweld trwyddi. Yn sydyn, roedden nhw'n gallu gweld adeilad o gerrig gwyn hardd a'i ddrws mawr ar agor!

'Dyma Efail-wen, a lle prysur iawn oedd e hefyd. Dyma lle roeddwn i'n cwrdd â ffrind i mi,' meddai Mam-gu Iet-wen.'

Ac ar y gair, dyma nhw'n gweld ffermwr mawr a bachgen bach yn cario olwyn fawr bren i Efail-wen.

Roedd yr olwyn oedd gan y ffermwr yn debyg i'r un oedd yng ngardd Iet-wen, meddyliodd Bwgi-bo.

Symudodd Mam-gu Iet-wen Goleuwen dipyn bach er mwyn i bawb allu gweld tu mewn i Efail-wen. Roedd hi'n dywyll iawn, oni bai am fflamau'r tân.

'O! Dacw'r gof. Fe sy'n gweithio yn Efail-wen yn trwsio olwynion ac yn gwneud pedolau i geffylau o bob math,' meddai Mam-gu Iet-wen. 'Roedd e'n garedig, ond Rhianwen oedd fy ffrind gorau.'

11

Symudodd Mam-gu Iet-wen Goleuwen unwaith eto a dyna lle roedd merlen fach wen yn sefyll yn dawel yn yr haul.
'Helô, Rhianwen fach!' meddai Mam-gu Iet-wen gan syllu ar y llygaid mawr brown.

'O, mae hi mor bert!' meddai Olwen.

'Merlen fach oedd Rhianwen, ac roedd hi'n dda iawn am dynnu cert a helpu ar y fferm,' meddai Mam-gu Iet-wen.

'Oeddech chi'n cael mynd am dro yn y cert, Mam-gu Iet-wen?' gofynnodd Owen.
'Ro'n i'n cael helpu cywain y gwair, weithiau,' atebodd.

'Rhianwen oedd yn mynd â gwenith i'r felin. Dyna sut roedd pawb yn cael blawd i goginio slawer dydd – nid ei brynu yn y siop, fel heddiw.'

'Oedd rhaid i Rhianwen ddod i Efail-wen i gael pedolau newydd?' gofynnodd Olwen. 'Oedd, wrth gwrs! Pedolau fel y rhai sydd gan Bwgi-go,' meddai Mam-gu Iet-wen.

Siglodd Bwgi-bo ei fraich nes bod y pedolau oedd ganddo yn ei law'n tincial.

Symudodd Mam-gu Iet-wen Goleuwen yn nes at fflamau'r tân.
Drwyddi, roedden nhw'n gallu gweld pedol yn troi'n goch, goch.
'Dyma bedol Rhianwen,' meddai Mam-gu Iet-wen.

Tynnodd y gof y bedol o'r tân a dechrau taro'r metel twym â morthwyl. Clinc. Clinc. Clinc. Ar ôl iddo siapio'r bedol, byddai'n ffitio troed Rhianwen yn berffaith.

Rhoddodd y gof y bedol newydd mewn bwced mawr o ddŵr oer.

Roedd y gof yn dal coes Rhianwen yn ofalus ac yn rhoi'r bedol yn ei lle. Tap, tap, tap.

'Dyna i ti sŵn arbennig. Pedoli, pedoli, pedoli, pe-dinc!' meddai Mam-gu Iet-wen.

Dechreuodd Bwgi-bo ddawnsio i'r curiad.

Mewn dim o dro roedd gan Rhianwen bedol newydd sbon ar bob troed. Roedd hi wrth ei bodd.
'Nawr mae'n barod i dynnu'r cert unwaith eto,' meddai Mam-gu Iet-wen.

Yna'n sydyn, dyma Rhianwen ac Efail-wen yn diflannu o ganol gwydr Goleuwen. Sylwodd y plant fod Mam-gu Iet-wen wedi mynd i edrych yn drist. Roedd hi'n gweld eisiau ei hen ffrindiau.

Ar hynny, dyma Gwen y wenynen yn dechrau hymian heibio. Roedd ganddi rywbeth pwysig i'w ddweud.

Roedd gan y bwgan brain anrheg fach arbennig i Mam-gu Iet-wen, sef hen bedol o Efail-wen. Ond roedd e'n ei dal hi wyneb i waered. O diar!

O! Diolch i ti, Bwgi-bo. Ond bydd rhaid troi'r bedol y ffordd arall er mwyn iddi ddod â lwc dda i ni.

Ond chafodd Bwgi-bo fawr o lwc wrth i'r bedol syrthio ar ei droed. Tinc! A dyma'r bwgan brain yn dechrau dawnsio ac ysgwyd fel rhywbeth gwyllt wrth i bawb chwerthin yn braf.

Daeth hi'n amser rhoi Goleuwen y chwyddwydr hud i gadw.

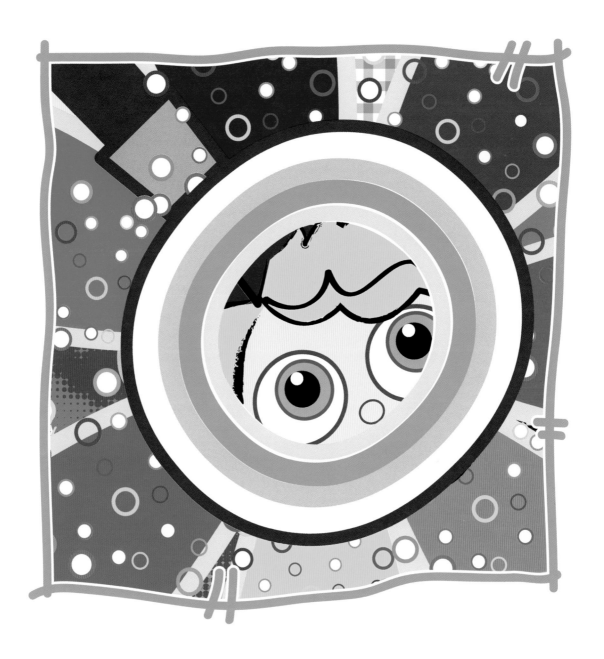

'Trueni bod Efail-wen wedi mynd. A Rhianwen y ferlen fach wen hefyd,' meddai Olwen.

Ie, ond paid â phoeni. Maen nhw yn fy nghalon i o hyd.

Edrychodd Owen o'i gwmpas a sylwi ar rywbeth.
'Hei! Edrychwch! Mae gan Bwgi-bo flodyn hud hefyd. Mae'r blodyn dant y llew wedi troi i fod yn gloc!' meddai Owen.

'Mae amser wedi hedfan. Faint o'r gloch yw hi, Olwen?' holodd Mam-gu Iet-wen. A dyma Olwen yn chwythu – un, dau, tri!

'Hwrê!' meddai pawb.
'Mae'n amser te!'

I Mam-gu Banc-y-Llan – Mam. x

Cyhoeddwyd gyntaf yn 2015 gan Wasg Gomer, Llandysul, Ceredigion, SA44 4JL
www.gomer.co.uk

ISBN 978 1 84851 853 7
ISBN 978 1 84851 921 3 (ePUB)
ISBN 978 1 84851 933 6 (Kindle)

ⓑ y testun a'r lluniau: Llinos Mair © 2015

Noddwyd gan Lywodraeth Cymru.

Argraffwyd a rhwymwyd yng Nghymru gan Wasg Gomer, Llandysul, Ceredigion, SA44 4JL